X书店

12 节虚构的语文课

如何打开这本书

冯军鹤◎著

葛根汤◎绘

北京科学技术出版社

100 层童书馆

郭初阳　中学语文教师、教育学者

在我看来，这套书恰似一把剪刀，将文学之柄、教育之柄紧密相连，握着它，你既能感到一种分离的张力，亦可亲眼目睹两柄贴合时的锋利，咔嚓一声，剪除多少平庸课堂的冗余、无趣，生命的浪费……剪出了一片新天新地，12 节课里有无限生机。

徐莉　首届荆楚教育名家、知名课程规划与设计师

不知道法国思想家卢梭的《爱弥儿》是否可算作用小说体裁写的教学实录？至少冯军鹤的《Ｘ书店12节虚构的语文课》是这样的一套书。它呈现的是可以企及的理想语文课的样子、理想教育的样子——用基于审美和思辨的自我探索，安全又有趣的公共讨论，促进认知、个性与社会性发展。汉娜·阿伦特*说，公共讨论是爱这个世界的方法，但只有确定了"我"和"我们"才有爱这个世界的真实主体。

———————

* 汉娜·阿伦特（1906—1975）犹太裔美国政治理论家。

周益民　国家"万人计划"教学名师、语文特级教师

12 节虚构的语文课，带来的是真切的文学体验。我仿佛也置身于 X 书店，享受每个声音都能被听见的自由，享受因自由而闪耀的思想锋芒。

张祖庆　特级教师、谷里书院创办人

这是一个有着小说模样的"语文理想国"，也是一座诗意栖居的"生命伊甸园"。一个不甘平庸的语文教师和一群不愿平庸的追梦少年，共同演绎了 12 节另类语文课。初读拍案叫绝，再读回味无穷。

冷玉斌　中小学高级教师、知名阅读推广人

这里的每一节课并非现场实录，而是一位老师与学生面向理想文学生活的演练与实操：他们读好书，他们对话，他们追索，他们感叹，他们眺望，他们长大……他们在告诉所有读者，"语文"可以更辽阔，"语文课"可以更有趣，"教语文"可以更自由——而这，也许正是"X"的解。你能读到更多"X"吗？

目录

开放
阅读

开放态度

  在 X 书店，状如刺猬的彭子涵总是喜欢蹲坐在书店的角落阅读。

  而现实中的李昊然则偏爱懒人沙发。

1. 在哪里读都可以

没有限制的阅读姿势对很多孩子来说不仅仅意味着舒适和自由，也许还意味着对阅读空间的掌控感。**当意识到自己是阅读世界的主人时，他们才愿意在里面待得更久。**

2. 阅读什么都可以

阅读《X书店12节虚构的语文课》会有很多陌生的体验，其中之一大概就是阅读书单，大部分显得冷门。而熟悉如张爱玲也很少出现在传统课堂上。这样的选择并非为了标新立异，而是为了表明，**孩子们有能力进入许多故事，远比我们所认为的广阔。**相信这一点，我们便能够越过传统推荐书目的贫瘠，发现更多有趣的作品。当然，这仅仅是成年人的推荐，更为重要的仍然是他们自己的选择。

千万不要伤害孩子们的阅读热情，即使那本书在家长们看来是无用的。还是回到上页那句话：当意识到自己是阅读世界的主人时，他们才愿意在里面待得更久。

3. 如何理解都可以

在《X书店12节虚构的语文课》中，对作品的理解，我们提供两个层面的开放。

第一个层面是质疑作者的权威。马老师既会引导大家发掘作者的意图，同时也会不断地追问：**在评价一部作品时，究竟是读者的声音更重要，还是作者的声音更重要？**

第二个层面，在面对孩子们不同的理解和思考时，马老师都给予了充分的肯定，甚至与彭子涵一起分享着过度解读的快乐。**不评判对与错，其实是对孩子阅读能力的认可。**

当然，这两个层面的开放也许会导致孩子们偶尔的胡言乱语，但却保护了他们面对阅读时的自信。在阅读世界中，后者无疑是更加珍贵的特质。

开放交流

1. 聆听的姿态

读完《X书店12节虚构的语文课》的六本书，你也许会觉得马老师的形象显得有些模糊。她似乎并没有做太多事情。但实际上，在她的声音出现之前，她一直在聆听，并且是认真地聆听。因此，她才能认真地回应。

不过聆听的姿态并不仅仅是为了回应，聆听本身同样重要。这是一种邀约，也是一种平等的姿态。姿态中包含着这样的信息：**我重视你的表达，尊重你的思考，请继续说下去。**

聆听的姿态是和一个人建立关联的基础。**没有聆听，就没有交流。**

2．提问的建议

当孩子读完一本书，我们渴望和他对话，并且希望激发他的思考。这时我们应该如何提问呢？

马老师的课堂提供了具体而又丰富的例子，也许可以尝试如此概括。

…………

（1）询问整体感受，是否喜欢这个故事？如果让你打分，你会给多少分？

（2）令你印象最深刻的片段或者情节是什么？

（3）你喜欢故事中的哪个人物？不喜欢哪个人物？你觉得哪个人物写得特别好？

（4）你读这个故事的时候想到了什么？它和你读过的其他书有没有相似的地方？

（5）有人（这个人可以是提问者）认为这个作品……，你同意吗？如果不同意，你的想法是什么？

（6）你对故事结尾（或者某个情节）满意吗？如果不满意，你会如何设计？

（7）你觉得这部作品的文字怎么样？有什么特点？

　　…………

　　细心的读者也许已经发现，马老师的提问与传统的课堂有很大的区别：书中不怎么谈论中心思想与段落大意，也较少询问某一片段作者是如何想的。相反，马老师总是在问，你喜欢什么，你怎样认为，你觉得呢？

　　在这样的提问中，马老师其实是在召唤学生自己的阅读体验，一种个性化的理解，以及他们评判一部作品的权利。

3. 包容的反馈

　　提问，聆听；抑或聆听，提问。在这之间，反馈是必要的。

　　因为如何理解都可以，马老师的反馈多是肯定和鼓励便不足为奇，习惯了批评与内卷的家长和老师或许会称之为"纵容"。但大环境依旧苛刻，就让我们在小环境里给孩子们更多的赞美吧。

在马老师的反馈中，我们也许可以发现以下几条道路：

欣赏孩子们的独特视角；

表达自己对这一视角的思考与延伸；

重复孩子的某一句精彩表述；

表示很感兴趣，希望能够进一步解释。

以及最重要的——

当我们提出建议时，避免"是的，但是（yes, but）"，尽量使用"是的，并且（yes, and）"。

4. 同伴的互动

  孩子对自己的同伴好友是自然敞开的。沈青会主动将自己的阅读感受分享给穆川、李悠悠、彭子涵，还有白江宏，却很难向自己的父亲吐露。所以，保护甚至创造机会促进同伴的交流，应该成为家长们的一种意识。而作为孩子，积极地与同伴进行阅读交流，也容易在平等中生出更多的枝丫。

开放体验

1 . 游戏

阅读中的游戏体验很容易被我们忽视，似乎阅读就应该是一种安静且孤独的状态。但很少有人能够拒绝游戏的快乐，阅读的人也一样。

在《从诗歌开始》那本书的第二节课堂上，马老师带着大家进行拼贴游戏，不仅带来了快乐，而且词语和句子之间的碰撞本身就成为诗歌语言的一部分。如果想打开拼贴诗的更多玩法，不妨上网搜索一下，爱好者们已经发明了各种可能。

《关于性别》中的拼贴画具有异曲同工之妙，碰撞中不乏诗性的奇思与随想。但游戏并不止于拼贴，还有戏剧、绘本重构（随机选择绘本插画进行新的故事创作）、同人写作等。

2．感性

在既有的文学赏析和教学中，理性的思考与表达占据了大多数。所以，当你在《从诗歌开始》的"序章"中看到马老师鼓励学生以图画的方式表达自己，并最终让选取片断中的人物再次回归图画时，不知道你心中作何感想。

如果文学阅读乃是一种审美，感性的体验就不应该被忽视。绘画之外，借助颜色、动植物、图案、物品，甚至音乐来表达对文学作品的理解，便是让读者的感性体验得以表达的诸多方式。

我们可以将这种感性的关联看作一种诗性的语言。**诗歌不可言说，并非不能诉诸言语，而是在指责理性逻辑的局限。**

3. 比较

　　在《关于性别》的"女人的故事"这一课中，通过让杜十娘与羊脂球的故事在同一节课上被讲述，我们不仅加深了对两位被侮辱与被损害的女性共同点的觉察、不同之处的辨认，同时也仿佛看到了她们之间跨越时空的对话。

　　比较可以让某些东西凸显出来。 设想一下让孙悟空与哈利·波特站在一起，中西方的龙怒目而视，或者将沈从文的《边城》与鲁迅的《故乡》比照着阅读，我们一定会有很多有趣的发现。

　　当然，比较不仅仅存在于文学之间，在《成长是一部小说》的"想象与真实"这一课中，不就在比较一篇小说与绘画吗？

开放文本

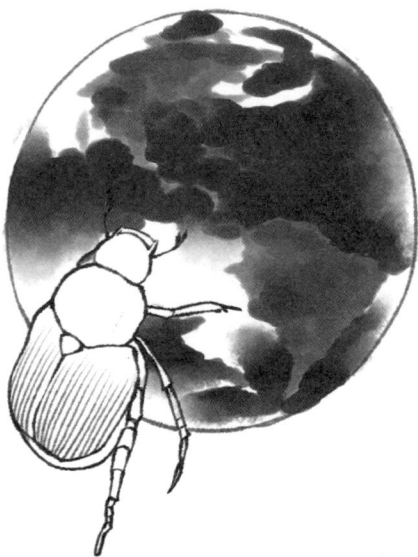

1．世界文本

我们不仅要读中国书，也要读外国书。而在外国的作品中，除了关注欧美以及日本、韩国这些强势文化，我们也不妨多接触一下非洲和拉丁美洲等相对弱势地区的作品。

如果阅读是一种文化体验，那么，更多的文化阅读不仅会让我们对他者的文化更加包容，同时也可以帮助我们更清晰地看见自身文化的特质。

只有在世界文化中认认真真地走一圈，我们才能够真正成为一名世界公民。

2. 当代文本

为什么选择《夜晚的潜水艇》这篇诞生于2020年的小说呢？哦，主要因为这是一个当下的故事。

长久以来，当代作品的阅读似乎只属于成年人，除了少量的童话与散文，当代文学在语文课本中的分量少得可怜。我们可以从"经典"这个叠加着时间厚度的词语中理解这个选择。

但阅读一部文学作品，不也是在阅读一个时代吗？没有当代文学，孩子们就失去了一次阅读当下世界的机会。而当下的世界，正是他们生活其中的世界，也是他们未来需要面对的世界。

3. 艺术文本

　　文学,便是一种艺术。但除此之外,还有绘画、音乐、雕塑、建筑等难以穷尽的艺术形式。

　　在不同的艺术之间,也许分享着某种共同的能力——审美。所以,不管你想全面提升这种能力,还是希望最终提升文学阅读的审美,在不同的艺术之间穿梭都是有益的。

　　就让孩子们从书桌前解放一下吧,带他们去博物馆、美术展览、音乐会、伟大建筑,甚至自然(自然本身又何尝不是一种艺术)中走一走吧。

4．电影文本

在前面艺术文本的讨论中，我们单单避开了被称之为第七艺术的电影，不仅因为它的特殊，还因为它对我们社会产生的巨大影响。

电影在改变着我们的生活，从电影中诞生的各类视频创作在塑造着我们的认知与表达。

仅仅把电影当作一种娱乐方式，就像仅仅把文学当作某种情感容器一样糟糕。伟大的电影常常是一件不可多得的艺术品。而面对口碑不佳的电影，我们也可以在批判中审视我们是否存在偏见。

无论如何，我们都可以从电影中看到更多。

开放书单

语文课	选　篇	推荐阅读
序章 偶遇	《克罗诺皮奥与法玛的故事》 ［阿根廷］胡里奥·科塔萨尔／著	《马可瓦尔多》 ［意大利］伊塔洛·卡尔维诺／著
第1节课 翻译与诗	《唐诗解构》 洛夫／著	《给孩子的诗》 北岛／选编
第2节课 诗是什么	《奇迹集》 黄灿然／著	《我偏爱读诗的荒谬——现代诗的三十堂课》 廖伟棠／著

语文课	选　篇	推荐阅读
第 3 节课 战争与死亡	《我还是想你，妈妈》 [白俄] S.A. 阿列克谢耶维奇 / 著	《锌皮娃娃兵》 [白俄] S.A. 阿列克谢耶维奇 / 著 《西线无战事》 [德] 埃里希·玛丽亚·雷马克 / 著
第 4 节课 时代与个人	《活着》 余华 / 著	《棋王·树王·孩子王》 阿城 / 著 《象棋的故事》 [奥] 斯特芬·茨威格 / 著
第 5 节课 他们为何死去	《人鼠之间》 [美] 约翰·斯坦贝克 / 著	《推销员之死》 [美] 阿瑟·米勒 / 著

语文课	选　篇	推荐阅读
第 6 节课 他们不正常吗	《小城畸人》 ［美］舍伍德·安德森／著	《果园城记》 师陀／著
第 7 节课 想象与真实	《夜晚的潜水艇》 陈春成／著	《永远讲不完的故事》 《毛毛》 ［德］米切尔·恩德／著
第 8 节课 长大与经验	《汪曾祺小说集》 汪曾祺／著	《圣诞忆旧集》 ［美］杜鲁门·卡波特／著
第 9 节课 脏话的故事	《十一种孤独》 ［美］理查德·耶茨／著	《透明的红萝卜》 莫言／著

语文课	选　篇	推荐阅读
第 10 节课 女人的故事	《羊脂球》 [法]莫泊桑 / 著	《她们和她们》 安小庆　林松果　李斐然 / 著 《一个女人的故事》 [法]安妮·艾尔诺 / 著
第 11 节课 一种乡愁	《似水流年》 香港电影	《八两金》 香港电影 《红柿子》 台湾电影
第 12 节课 一种爱情	《第一炉香》 张爱玲 / 著	《倾城之恋》 《红玫瑰与白玫瑰》 张爱玲 / 著

作者的
经验思考

如何面对应试课堂

我们需要认识到，以高考为目标的应试课堂很难关注到孩子的个性发展。遇到一位好老师是一种幸运。大多数时候，我们不得不帮助他们解放自己。所以，必须在课堂之外做点儿什么：阅读、观影、社交、游戏、户外、思考、审美，甚至发呆……

大多数语文课堂不是个性化的，甚至很多时候也无关于文学审美。仅仅囿于其中，很难期待孩子们未来会享受阅读。而反过来，一个在阅读与写作方面长期浸润的孩子，在应试考试中不会畏惧。

语文试卷的阅读与写作都依赖于语言组织的透视能力，也就是将语文词句进行关联、拆析、重组或者升华的能力。大量的阅读是这种能力发生的天然土壤，远远好过对单篇文章进行无节制并且僵化分析的传统课堂。

至于作文，我忍不住想说，考场的要求其实是很低的，不足一小时的时间与字数的限制让考场作文主要停留在语言修辞与信息整合的层面。但要想在考试中取得成功，我们首先需要跳出应试写作的框架。关于这种区别，我将在后面的写作部分进行阐述。

所以，如何面对应试课堂呢？

我的建议是：**不要仅仅满足于课堂，抛弃过高的期待，甚至在语文作业面前适当后退，同时在小学与初中阶段引导孩子开放地阅读与多元地写作。**

如何激发阅读兴趣

其实，"开放阅读"的大部分内容都在努力激发或是保持孩子们的阅读兴趣。这些内容在《X书店12节虚构的语文课》的六本书中都得到了很好的展示。但除此之外，我还想补充几点。

首先，在阅读的启发阶段，建议家长多关注

一下故事朗读的方式。具体可以参阅《朗读手册》这本书。注意，孩子有能力阅读纸质书，并不意味着朗读的结束。但开始自主阅读之后，带孩子出入图书馆或者书店，从而鼓励孩子自主选书，培养阅读偏好，会让孩子在阅读世界中逐渐生根，从而收获持久的乐趣。

自主阅读具有强大的推动力。被动地享受愉悦远不及主动发生的愉悦持久。所以，关注并且培养孩子在阅读中的自主意识是非常重要的。亲子共读是参与孩子阅读世界的有效方式之一。即使没有时间共读，通过提问与聆听的方式引导孩子谈论阅读内容，同样也可以帮助孩子建构起一个有思考能力的自我。

在这个过程中，孩子的阅读偏好一定会与我

们的期待产生偏差。此时，一定不要盲目否定孩子的选择。推荐《阅读的力量》*这本书。它会告诉你，某些书所谓的负面效果并不像我们想象的那么严重，甚至在阅读能力的培养方面，它们也并非一无是处。当然，更关键的是，否定孩子的选择可能会导致孩子阅读热情的退潮。

最后，当孩子的阅读在老师那里遭遇批评时，请首先聆听孩子的声音，并且在大部分情况下，站在孩子这一边。

---

* 作者为美国南加州大学教育领域的荣誉退休教师斯蒂芬·克拉生教授。他建立了第二语言学习的普遍性理论，他还是自然研究法的创立者之一，以及学科式双语教学的发明者。

如何从阅读走向写作

当老师以来，我经常需要面对家长们提出的这样一个问题：**孩子读了很多书，为什么写不好作文？**

即使家长们知道，读得多和写得好并不是必然的关联，但这个问题仍然困扰着他们。问题的本质也许是焦虑，或者一种功利的思维。当然，也有可能是忽略了阅读与写作的丰饶。

阅读有很多种方式：快读、慢读、精读、泛读、故事阅读、文字阅读、回归自我的阅读，以及走向他者的阅读……写作也有很多种，但也许可以简化为应试写作和非应试写作。

我想，家长们的问题应该是：**我的孩子读了很多课外书，为什么还是写不好学校的作文？**

让我们直入主题，产生这个"问题"的孩子也许主要在阅读故事，缺少精读，也缺少文本细读。或者，孩子阅读书籍的文学性堪忧。所以，在不否定孩子已有阅读习惯的情况下，推荐孩子阅读文学性更强的作品（如"开放书单"中的作品），然后在大量泛读的同时，创造机会进行一些精读，尤其是文本细读，在六本书中有大量文本细读的例子。

而写作，也请不要囿于课堂。这一点，我们会在后面的创意写作中展开。

如何度过青春期的阅读

在讲述一个孩子的阅读经历时，我们常常听到这样的叹息：**他小时候很喜欢读书呀，怎么初中以后就不读了呢？**

我认为这种喜欢丢失的一个重要原因，与孩子在"阅读兴趣激发"的过程中，所谓阅读的自我意识有关。也就是说，之前的阅读并没有进入孩子自我探索的领地，仅仅作为一种学习习惯在维持。这种未及扎根的情况是大部分孩子的阅读状态。如果已经扎根，青春期的阅读大概率会持续下去。

如果没有扎根，家长们可以做些什么呢？

我想，在回答这个问题之前，首先需要确认家长和孩子的交流是否通畅。而这一点，很多家庭并不具备。其中的关键在于，家长们能否像书中的马老师那样愿意聆听并且拥有平等的意识与姿态。如果交流是通畅的，家长的阅读推荐或者亲子共读才有可能发生。而平等的姿态也通常不会让孩子的青春期演变成盲目的叛逆。

青春期是一个孩子长大成"人"的阶段，自

我意识急剧膨胀的一段旅途。他们对世界的规则产生好奇，对自我和他人以及世界的关系有了更多的思考，并试图融入成人世界。而这一切，都充满了困惑与挣扎。所以，如果能够让阅读贴合这种困惑，并且成为孩子自我探索的一部分，阅读就不再仅仅是一种任务。

《X书店12节虚构的语文课》的六本书，每一本都有一个主题，关于成长与身份，他者与世界，生活与情感，每一篇都在回应长大成人的困扰与波折。这样的阅读更像是一种对话，一种回归自身的逗留。

当然，文学阅读的另一面——审美的愉悦也很重要。在青春期的纷乱中，如果阅读能够带来愉悦，对挣扎中的孩子也是一种慰藉。

作者的
文学立场

审美

文学审美会特别关注作品的形式，如文字风格、语言节奏、叙事策略、视角选择等，但并非止步于此。

一方面，关注"怎么说"同时也是在思考"说了什么"。所以审美是打量形式与内容彼此关联时的目光。拥有这样的目光，不仅会在文学阅读中获得愉悦，同时还能够在其他艺术形式，甚至生活中看见美。

另一方面，**审美层面的文学阅读也是深入写作层面的阅读，它会追问写作的具体细节究竟在如何影响表达的效果。**那么，自然而然，在阅读中培养审美的能力也一定会提升写作的能力。

❤❤ 批判 ❤❤

批判是质疑，也是不满。批判必须是自我的思考，是对一切既定规则和现象的重新审视。所以，批判的意识将生长出一个强大的自我，既不盲从，也不媚俗。

在文学阅读中培养批判首先应该调动学生个人的声音，需要引导他们产生疑惑，需要陌生化，需要彼此之间的辩驳，需要不同声音的交错，就像马老师的课堂一样，需要增加不确定的内容。

共情

在《X书店12节虚构的语文课》中，大部分课堂的教学互动都在实践共情，比如《小城畸人》的阅读，就在努力帮助推动学生从偏见中脱离出来。

共情当然不是感动，也不是认同某一个体。**共情的关键在于看到人的复杂性，看到行为背后更广阔的内心世界。**只有深入这种复杂，才能够抛弃"畸人"一词，挣脱正常与不正常的简单判定，去理解爱丽丝的痛苦、孤独与不切实际的行为。

共情，就是像发现自己的丰饶那样看见他者，也是如领会他者的复杂那般重回自身。

想象

在我看来，文学阅读中的想象力是一种自由的状态，是不被束缚的能力。想象和创造是亲密的邻居，和共情是彼此尊重的朋友。

马老师在诗歌课堂上所释放的，通过英文诗、现代诗和古诗的互相翻转所要邀请的，正是这种无拘无束的漫游。想象力也包含虚构细节的能力，使用语言的胆量，超脱平凡世界的萌动。

没有想象力，文学阅读与写作就容易走向匮乏。

开放
写作

两种比较

1. 应试写作

应试写作是以考试为目标的写作。我们必须清楚考试的限制才能够看见这种写作身上的枷锁。

应试写作主要表现为命题写作。不管是直接的题目还是一段文字表述，本质上都需要学生进行揣测，并且努力在文字表达中反复言说。跑题与否便成为了日常写作训练的关键。

同时，考试是时间的艺术，每个学习阶段都有一个写作的字数要求，这在落笔时就需要了熟于心。文体也在学校有了贵贱之分，议论和记叙成为贵族，小说和诗歌的写作则几乎被拒绝。

另外，还必须要谈论的是，由于考试批改的现状，华丽的语言修辞和直白的情感袒露成为获取高分的通用法则，而含蓄、间接、质朴的风格则变得无法生存。

这当然不是开放的写作，而是一种封闭的写作，也毫无乐趣可言。应试写作是不得不面临的现实，但我们不应该满足于此。

2．开放写作

开放写作的观念，则可以让写作流动起来，让它参与到各种课堂形式中：阅读、讨论、批判力训练，甚至口语表达；也可以让写作变形，不必追求唯一的完整写作，可以让写作碎片化、情景化，可以从词语切入，也可以从一句话开始。也应当相信写作的文体可以互通，从诗歌到散文，从非虚构到虚构，界限并没有那么重要。

开放写作，也就是要激发写作的动机，在想象的冲动中发现文学的乐趣。在12节语文课上，从阅读走向写作的方式尤其重要。当阅读完《活着》之后，马老师的作业是让同学们选择众多死者中的一位，以他的视角写一写死亡来临前的所思所想，以及可能的回忆。

四种状态

1. 自由的写作

写作应该是自由的。在与应试写作的比较中，这一点会变得更为清晰。

写作的自由意味着想写什么都可以，冒险、奇幻、爱情、悬疑……也意味着怎么写都行，没有段落大意，不需要考虑中心思想，可以从中间写起，也可以一个碎片一个碎片地累积。可以不用写完，可以取消题目，可以快速写完然后修改，或者不修改；也可以慢悠悠地写，在每一个句段中斟酌到天亮。

2. 语言的写作

持久的阅读与写作之后，我们总会来到语言写作的关口。所谓语言的写作，即是一种审美的写作。

最开始，是在思虑哪一个词语更准确，更好听，哪一个修辞更引人注目；之后，开始在朗读中体会句子流动的节奏，改变句子的长短，体会删减的不舍与快乐；最后，明白比喻句并非是好的、成语和关联词有时会造成某种障碍、修辞本质上应该是语言的风格，而不是排比、拟人、夸张……顺序并不重要，重要的是拥有语言写作的意识。这种意识在大量的文学阅读中会自然而然地发生。如果能够不时地进行文本细读，也许会让这种意识来得更早一些。

3．真诚的写作

真诚的写作意味着运用自己的情感和理智，对自己的经验和价值负责。理解真诚更好的方式其实是谈论不真诚。

不真诚的写作是怎样的呢？

相信很多人会想到许多例子。比如在"我的母亲"这样一篇文章中，罔顾母亲真实的样子，编造一个完美母亲的形象和故事。再比如，在一篇记叙文中，表达自己并不接受的观点，以及在毫无知觉的情况下，堆砌无所谓的词句博取关注。

真诚是一个很难抵达的状态，也是一个模糊不清的状态。但在写作中保持真诚的努力，会让自己和写作的关系更加紧密。

4．实验的写作

实验的写作和自由写作有关，但不仅仅是自由的写作。

实验的写作强调系统性探索，去感受某种写作方式的好与坏，尝试一个故事的不同讲述方式。实验的写作会让我们意识到文学审美与表达的不同路径，并且是成为一个作家的必经之路。

一方面，愿意在写作方面进行实验的人一定是热爱写作的，并且形成了一定的个人风格。但另一方面，孩子们经常忽略自己正在进行写作的实验，导致过分执着于完成与否，从而使自己的成长受限。

所以，家长或者老师可以帮助孩子们在实验写作的过程中停留得久一些，进行更多种方式的探索。写作是长久的事情，实验之后才能拥有更成熟的判断和能力。

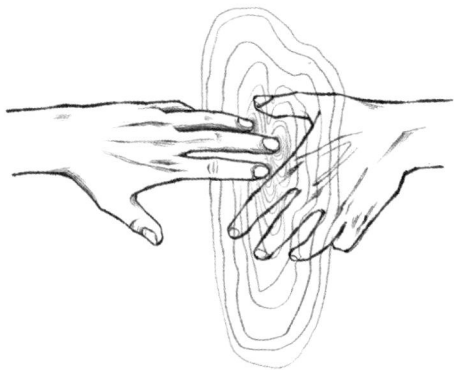

八个建议

1. fan story[*]

　　作为某一本书的粉丝，我们有很多话想要表达。只要你愿意，就可以动笔创作一个 fan story：改写某段情节，续写结尾，拿出某个角色。无论生存还是死亡，一切都可能发生。

---

[*] 在已有作品的角色、背景、情节等元素基础上进行的再创作。也可以称之为同人文。

2．视角转换

所有叙事都存在视角的问题。

《孔乙己》的视角是咸亨酒店的小伙计，《骆驼祥子》和很多其他作品拥有的是上帝视角。

不妨试一试换一个视角，重新讲述这个故事，你会因此发现很多奇特的变化。比如虎妞会如何讲述她和祥子的爱情故事呢？

3. 角色抽离

把一个角色召唤出来，让他经历新的故事。这是很多人幻想过的可能。

你是说让哈利·波特遭遇孙悟空吗？

哦，这太荒诞了。

愿意的话你可以尝试。

我说的比这要有挑战：保留一个角色的性格和背景设定，设计全新的情节。比如一个孙悟空式的人物是什么样子的呢？他在今天的学校又会经历什么？

4. 故事新编

是的，就像鲁迅的《故事新编》一样，我们可以改写某些古老的故事。现代版《灰姑娘》已经在很多电影中出现了。

你可不可以尝试写出现代版的《精卫填海》，或者《哈姆雷特》呢？

5. 写作素描

　　法国大作家福楼拜曾经教导自己的学生莫泊桑观察马车，写下每一辆马车的与众不同之处。他自己在《包法利夫人》的开头也极其详尽地描写了一顶帽子。

　　观察身边的事物，用文字进行恰如其分的描述，永远是写作最重要的能力之一。

6. 视觉写作

你可以根据达芬奇的著名画作《蒙娜丽莎》写出一个故事吗？或者观看梵高的《向日葵》写出一首诗。更简单的，也可以把你观看的某个电影故事转换成文字。

这种训练可以很好地帮助你感受文字表达的特别之处。相比于视觉语言，文字语言有着不同的节奏、质感和空间。

7. 翻译

　　如果你对语言感兴趣，如果你的外语还不错，不妨试一试翻译吧。

　　翻译可以让我们对语言差别的感受降落至词语的维度。甚至，你可以更大胆一点儿，找出一部中文作品的英文译本，将其翻译回中文，再比对原文。

　　试一试，看一看会发生什么吧。

8．模仿

我当然不是指句子仿写，而是更深程度的模仿。比如模仿沈从文的《边城》写一个水边的故事，不仅仅模仿叙事风格，也要模仿文字。

这样说有点儿难以理解的话。你不妨试着找出一篇你喜欢的故事，然后从中间往下写，尽量还原故事本来的感觉。故事可以一样，也可以不一样，但故事前面的诸般细节，你都需要考虑。

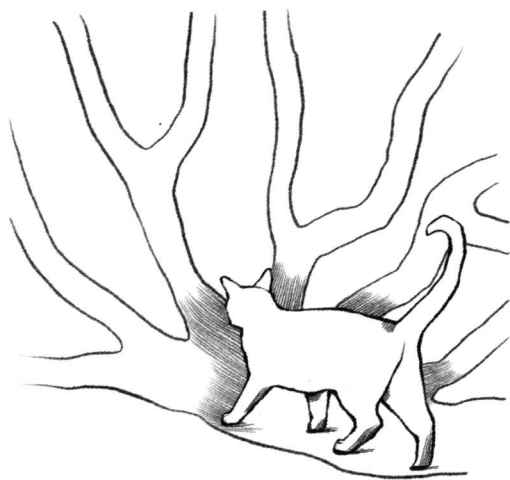

导读

语文教育的探讨与实验

文 / 张秋子（大学教师，读小说的人）

　　一开始，我并没有按照顺序读，而是兴之所至地翻开了《成长是一部小说》。读的时候疑问连连：书中的马老师难道是军鹤的化身？每一节课开始和结束时现身的那个"我"是军鹤的自述吗？他怎么还要补课，甚至背着书包考虑作业和排名？还有，难道作者是在上课时带着录音笔，把大家的讨论录下来，然后再誊写出来的吗？不然，怎么会这么精确和滴水不漏呢？

后来，军鹤让我悬崖勒马，他说，每本书的排序都是有目的的，要从第一本开始读。于是，我翻开了紫色封面的《从诗歌开始》，并且第一次认真地注意到了上面那排小字：虚构的语文课。

所有的问题迎刃而解。

这套书展示给读者的，并不是常见的由课堂实录转化而成的讲稿，而是军鹤在课堂教学的基础与经验之上，用一种虚构的甚至是小说创作的方式，对理想的语文教育进行的探讨与实验。借虚构之名，现实所设置的种种路障被轻松地规避，这样一来，读者们就能够理解，为什么每一节课都发生在 X 书店中，因为书店没有学校的规训以及升学的压力，大家会因为"真爱""兴趣"而非"被迫"聚集到这里。关乎诗歌、小说和电影的讨论也会因为没有分数或者成绩的压力而变得更自由和大胆。同时，就像我们读小说那样，虚构避免了读者把书中出现的人物简单粗暴地与作者画等号。如果说这套书一定要有一个主角——可以是那位叫沈青的女生——和作者本人扯不上什么关系，她更像一枚穿引之针，将读者细密地缝织进每一节课的讨论之中。

在某种程度上，这12节虚构的语文课让我想到了十八世纪启蒙作家们的对话体小说。

在狄德罗*的《拉摩的侄儿》《宿命论者雅克和他的主人》等作品中，两个角色不停地对话，从一个问题转到另一个问题。狄德罗并非要借助虚构小说的形式打造所谓的立体人物或者鲜明的故事，而是通过不停地对话，以一种非专断的形式传递他的哲学思辨。同样，对军鹤来说，对话体小说中常见的两位对话者变成了 X 书店中的众声喧哗，不同的声音本身就印证着文学理解的核心：**文学理解是一个动词，**

---

* 德尼·狄德罗（1713—1784），法国启蒙思想家、哲学家、戏剧家、作家。

它不应该是闭门造车的沉思，也不应该是一人宣讲的正确答案。它应该以一种敞开的姿态欢迎每一个生命的介入与对话，在纵横交错的生命轨迹中，最大限度地接近丰盈。

这种丰盈无须读者具备多么高深的学识。就像在这套书中，所有的共读参与者都是学生，他们和现实中的学生一样，背负着沉重的课业压力，想必平常也没有太多时间看所谓的"闲书"。但是，他们信赖自己的感受而不迷信所谓的教条与答案，所以他们会真诚地表达对一部作品的好恶，他们也坦承自己的犹豫乃至茫然，会诚实地交待自己也许是在"过度解释"

或者"其实没什么想法"。诚与真，恰恰构成了他们理解文学的基石：没有那些触及我们汗毛、肌肤、脊椎乃至鸡皮疙瘩的感受，所有看起来高大上、有道理的解读都是空中楼阁。

我相信，这也是军鹤在面对学生与面对语文课时的想法。在一节好的语文课中，老师应该尽可能地消音，不再专断地以领导者的姿态掌控全局，这样才能以更谦卑和包容的姿态激发出学生们的多元表达。读者们会发现，在这套书中，虽然有一位老师的角色——马老师——但她从不做出确定的结论或者结论式观念的输出，她更接近于苏格拉底所谓的助产士，帮助年轻的学生们"产出"他们自己的观念，接着再帮助他们把这些妙论中的，连他们自己可能都不曾意识到的"妙点"强化和加深。

几乎在每一节课上，这位马老师都会设计一些小实验，有时是通过颜色让学生们表达对人物的感受，有时是通过拼贴画的方式拆解和重组一部作品。但所有的实验最有魅力的地方都是结果，也就是学生们在"实验条例"的路径下得出的意想不到的回应。这就像我们守在一枚花骨儿边，你知道它会绽放，但最后绽放出牡丹还是蔷薇，这是由学生们的回应决定的，并非老师的预设。从这点上来看，抱着看"结论""理论""总结""道理"心态的读者可能会失望而归。这套书无意像传统教材那样"教点儿什么"，也不会用"充满干货"的说辞来抚慰知识焦虑的心灵，它更接近于在流淌的对话中，个体心灵的复苏、接近、摩擦与问候。在这个过程中，我们与文本、他者、自我鼻息相通。

指导一节理想的语文课的基本观念，当然不是虚构出来的。正如军鹤在后记中谈到的，他有过在不同体制里教授语文课的经历，这些经历给他带来了困惑，但也一步步夯实了他自己"究竟要怎么做"的决心。我想，只有始终怀抱着"不止于此"的心态，语文教育的探索才会真正实践并走下去。也只有怀抱着对文学真切的热忱，依据文学所展开的教育才能持之以恒。

在阅读这套书的过程中，我多次想到了在自己的课堂上发生的对话，我们为了一些外人看起来微不足道的文本细节不停地深挖、咀嚼、讨论。每当这样的课堂结束之后，我都会充满一种疲惫又狂喜的激情。我因为听到了不同的心灵飞溅出的火花，不同的灵魂碰撞后摩擦出的电光而满足不已。我知道，军鹤一定也体会过这种意味深长的快感。我们是在不同的时空中，向对方投去了信任的一瞥。◆

适合心灵敏感少年的
"如何读，为什么读" [*]

文 / 淡豹（作家）

手臂林立。或者是让人不安的凝滞。点名、起立、试探性地回答问题，得到"对"或"错"，继续沿教案行进。这是许多人印象中传统教育的课堂。快乐和轻松感往往来自那些意外的时刻，例如，谁起身时撞到了桌子摔了一跤，谁

---

[*]《如何读，为什么读》由美国文学理论家、批评家哈罗德·布鲁姆（1930—2019）著，是一部面向普通大众读者，梳理西方经典作品的重要著作。黄灿然译，译林出版社。

发言时说走了嘴，谁开着小差，刚好躺枪。

《X书店12节虚构的语文课》虚构出一种独特的课堂气氛。在这里，"友好"是基本的价值，是几乎绝对的条件，发言前，不用太担心评判。这里的快乐，是思维带来的乐趣，人一步步走出洞穴，感受阳光启迪时的那种轻松。这里的课堂回答，是苏格拉底教学法中讨论与争辩的一部分，而且更重视文化多元性，在愈思愈明的同时还留出进一步省思的空间，让多样选择并存，不同学生各自的性格底色和追求也逐渐显现出来。

这确实是一种理想中的课堂。它是语文课，也是逻辑课，还是视觉分析课，在进入历史情

境时，又成为某种意义上的社会课。并且，从理解时代与个人，到理解弱者和他人，它自始至终都是教育道德意识的课堂。书中那位语文老师希望孩子们不要长成精致的利己主义者，希望孩子们能在讨论中学会理解他人的那种拳拳之心，在每一章的纸页上都十分明晰。我猜，选择这种形式，恰恰是因为作者不想给出又一本关于如何教语文的工具书——"只有这样教语文才是对的"，那种容易带来流量的绝对性，大概不是作者的志向。作者所描述的理想课堂不是一言堂，而是一种关于集体生活、关于"我们如何交流和并存"的实践。

《X书店12节虚构的语文课》着意选择了多种主题与体裁的作品，范围比起传统的语文课大大拓展。它在今人与古人之间，在各个大洲、各种语言之间、在已经经典化或大众化的作品与新文本之间来往行进，以充满好奇心的目光注视古诗、现代诗、描写中国二十世纪社会生活的长篇小说、今日"年轻大师"充满想象力写及精灵宝可梦的短篇、拉美短篇小说、电影，并且把这目光变成了可以教、可以学的一种视角，交给读者，细细传授近距离阅读不同种类文本的方法。

对于读者而言，它能成为一本《如何读，为什么读》。

对教育者来说，它是一本近距离"细教"的范本。

也许更重要的是，它想象的理想教育和课堂讨论方式，对老师和家长都同样能够带来鼓励——我们是可以这样教语文的，这并非全然不可能。

试试苏格拉底的方式吧，也许你会收获一位或一组理想学生：他们想象力的发育逐渐带来同情。他们的好奇心与对世界和时间那种一无所知的渺茫感并存，让孩子们依稀体味沧桑。交流激发出的信任和集体感，又进一步引领了好奇心。人世无穷无尽，共同生存是我们的使命，探索和成长是我们的责任。如果这些都过于理想化，至少，探索这样的教育时，我们自己的心灵会在某几个时刻更开阔。

而如果拿起它的是一位心灵敏感的少年，它会像成长小说一样有趣、有力。

我们的少年，我们的孩子，也许正像这套书引用的小说集《小城畸人》中的题记一样，会因阅读而产生下面这样的强烈愿望："她对周遭的洞察唤醒了我，使我渴望去生活的表面之下一探究竟"。◆

如果你感到困惑，请珍惜你的困惑

文 / 陈赛（三联《少年新知》执行主编）

最早认识冯军鹤，是他帮学生给《少年新知》编辑部投了一篇小说，是仿照美国作家舍伍德·安德森的《小城畸人》写的一个故事。刚看到文章时，我很震惊，不敢相信这是一个十三岁的孩子写的。而且，这个叫回祖霆的孩子似乎并不算多热爱写作，只是碰巧喜欢养爬行动物而已，所以他将自己的这个爱好编排给了《小城畸人》中一个几乎空白的背景角色。他管这个孤僻的老头叫乔尼·乔斯达，并让他在一场大雨中寻找自己的宝贝宠物，由此牵引出他的故事。从这个故事里，我们知道，再孤僻的老头也曾经是柔软的孩子，曾经遭受过严重的伤害，曾经渴望爱和温暖，而给予他爱和温暖的，不是他的父母或同伴，而恰恰是一只爬行动物。

这篇文章很大程度上推动了我在杂志里开辟"写作实验室"的项目。我们根据每期的杂志主题拟出一些有趣的题目，邀请读者来投稿。但我们的目的不是要教读者怎么写作，也不是要在我们的读者中挖掘写作天才，我们想做的，是在读者中撩拨一种热情，这种热情中包含一个少年对世界的独特思考，对自己生命经验的独特表达，就像回祖霆写他的爬行动物一样。

我很喜欢以色列作家阿摩斯·奥兹。他说自己的写作分为两种，虽然动机各不相同。当他愤怒的时候，就写散文；而当他好奇时，就写小说。好奇，在他看来，不仅是认知的维度，也是道德的维度。比起没有好奇心的人，一个有好奇心的人是一个更好的人，因为他能代入他者的视角，去理解别人的感受。

在 X 书店发生的这 12 节课里，我们看到的就是一群少年对世界、对他者、对自我的好奇心被唤醒的过程。一个童年被战火摧毁的人会看到一个什么样的世界？一个人怎样被一个念头困住，甚至捆绑了一生？一个被命运剥夺一切的人在人生最后的瞬间会想些什么？……

如果不是乔尼·乔斯达的例子在前，我大概也会怀疑书中的马老师对文本的选择是否明

智。约翰·斯坦贝克、科塔萨尔、理查德·耶茨，甚至张爱玲，都不是简单的文本，十三四岁的孩子真的具备对这些复杂文本的理解力吗？

这些文本的好处在于，它珍视每一个个体的独特性，并乐于呈现这些个体复杂的处境。人是多么不自知的生物。一个人为什么做这样的选择，而不是那样的选择？在人生的各种情境中，是哪些微小的变化影响了我们的选择？这些是书中的少年们在马老师的课堂上不断讨论的东西。

一位老师和十个孩子围绕文学展开的讨论，被写成一个虚构故事，会让人想到《死亡诗社》。但与那部电影中的基丁老师不同，马老师没有那么强大的人格魅力，她在故事中的存在感并不强，她并没有具体地教给这些孩子什么，甚至在面对他们的困惑时也并不给出什么答案。除了选择文本之外，她唯一做的事情，就是引导这些孩子从他们各自的生命经验中调取能够与这些文本相碰撞的火花。而且，她显然对这些少年理解复杂文本的能力有着充分的尊重和信心。

通过这些文本，这些少年对人生有了更多的理解吗？当然。但我相信他们恐怕也产生了更多的困惑、不解和不确定。而我恰恰觉得这些困惑、不解和不确定是更可贵的。当你意识到自己并不了解生活时，才算是窥见了生活的真相。正是在对这些困惑、不解和不确定的求索中，我们的心灵一点点变得更加丰厚、开放和明智。◆

图书在版编目（CIP）数据

X 书店：12 节虚构的语文课. 如何打开这本书 / 冯
军鹤著；葛根汤绘. -- 北京：北京科学技术出版社，
2024. -- ISBN 978-7-5714-4080-0

Ⅰ. G634. 343

中国国家版本馆 CIP 数据核字第 20245JE983 号

策划编辑：郑先子
责任编辑：郑宇芳
责任校对：贾　荣
封面设计：张挠挠　新语视觉
营销编辑：赵倩倩
图文制作：新语视觉
责任印制：吕　越
出 版 人：曾庆宇
出版发行：北京科学技术出版社
社　　址：北京西直门南大街 16 号
邮政编码：100035
电　　话：0086-10-66135495（总编室）
　　　　　　0086-10-66113227（发行部）
网　　址：www.bkydw.cn
印　　刷：北京盛通印刷股份有限公司
开　　本：787 mm × 1092 mm　1/32
字　　数：40 千字
印　　张：3.375
版　　次：2024 年 8 月第 1 版
印　　次：2024 年 8 月第 1 次印刷
ISBN 978-7-5714-4080-0

定　　价：16.00 元